DISCOURS À L'ACADÉMIE SUÉDOISE

PATRICK MODIANO

DISCOURS
À L'ACADÉMIE
SUÉDOISE

GALLIMARD

*Il a été tiré de l'édition originale de cet ouvrage
cent soixante exemplaires sur vélin rivoli
des papeteries Arjowiggins numérotés de 1 à 160.*

RÉFÉRENCES DES POÈMES CITÉS

*Page 16 : W. B. Yeats, «Les cygnes sauvages à Coole», traduction Jean-
Yves Masson,* in Les cygnes sauvages à Coole © *Éditions Verdier,
1990.*
Page 27 : Ossip Mandelstam, «Leningrad», traduction François Kérel,
in Tristia et autres poèmes © *Éditions Gallimard, 1975 et 1982.*

Je voudrais vous dire tout simplement combien je suis heureux d'être parmi vous et combien je suis ému de l'honneur que vous m'avez fait en me décernant ce prix Nobel de littérature.

C'est la première fois que je dois prononcer un discours devant une si nombreuse assemblée, et j'en éprouve une certaine appréhension. On serait tenté de croire que pour un écrivain il est naturel et facile de se livrer à cet exercice. Mais un écrivain – ou tout au moins un romancier – a souvent des rapports difficiles avec la parole. Et si l'on se rappelle cette distinction scolaire entre l'écrit et l'oral, un romancier est plus doué pour l'écrit que pour l'oral. Il a l'habitude de se taire, et s'il veut se pénétrer d'une atmosphère, il doit se fondre dans la foule. Il écoute les conversations sans en avoir l'air, et s'il intervient dans celles-ci, c'est toujours pour poser quelques questions discrètes afin de mieux comprendre les femmes et les hommes qui l'entourent. Il a une parole hésitante, à cause de son habitude de raturer ses écrits. Bien sûr, après de multiples ratures, son style peut paraître limpide. Mais quand il prend la parole, il n'a plus la ressource de corriger ses hésitations.

Et puis j'appartiens à une génération où on ne laissait pas parler les enfants, sauf en certaines occasions assez rares et s'ils en demandaient la permission. Mais on ne les écoutait pas et bien souvent on leur coupait la parole. Voilà ce qui explique la difficulté d'élocution de certains d'entre nous, tantôt hésitante, tantôt trop rapide, comme s'ils craignaient à chaque instant d'être interrompus. D'où, sans doute, ce désir d'écrire qui m'a pris, comme beaucoup d'autres, au sortir de l'enfance. Vous espérez que les adultes vous liront. Ils seront obligés ainsi de vous écouter sans vous interrompre et ils sauront une fois pour toutes ce que vous avez sur le cœur.

L'annonce de ce prix m'a paru irréelle et

j'avais hâte de savoir pourquoi vous m'aviez choisi. Ce jour-là, je crois n'avoir jamais ressenti de manière aussi forte combien un romancier est aveugle vis-à-vis de ses propres livres et combien les lecteurs en savent plus long que lui sur ce qu'il a écrit. Un romancier ne peut jamais être son lecteur, sauf pour corriger dans son manuscrit des fautes de syntaxe, des répétitions, ou supprimer un paragraphe de trop. Il n'a qu'une représentation confuse et partielle de ses livres, comme un peintre occupé à faire une fresque au plafond et qui, allongé sur un échafaudage, travaille dans les détails, de trop près, sans vision d'ensemble.

Curieuse activité solitaire que celle d'écrire. Vous passez par des moments de découragement quand vous rédigez les premières pages d'un roman. Vous avez, chaque jour, l'impression de faire fausse route. Et alors, la tentation est grande de revenir en arrière et de vous engager dans un autre chemin. Il ne faut pas succomber à cette tentation mais suivre la même route. C'est un peu comme être au volant d'une voiture la nuit, en hiver, et rouler sur le verglas, sans aucune visibilité. Vous n'avez pas le choix, vous ne pouvez pas faire marche arrière, vous devez continuer d'avancer en vous disant que la route finira bien par être plus stable et que le brouillard se dissipera.

Sur le point d'achever un livre, il vous semble que celui-ci commence à se détacher de vous et qu'il respire déjà l'air de la liberté, comme les enfants, dans la classe, la veille des grandes vacances. Ils sont distraits et bruyants et n'écoutent plus leur professeur. Je dirais même qu'au moment où vous écrivez les derniers paragraphes le livre vous témoigne une certaine hostilité dans sa hâte de se libérer de vous. Et il vous quitte à peine avez-vous tracé le dernier mot. C'est fini, il n'a plus besoin de vous, il vous a déjà oublié. Ce sont les lecteurs désormais qui le révéleront à lui-même. Vous éprouvez à ce moment-là un grand vide et le sentiment d'avoir été abandonné. Et aussi une sorte d'insatisfaction à cause de ce lien entre le livre et vous qui a été tranché trop vite. Cette insatisfaction et ce sentiment de quelque chose d'inaccompli vous poussent à écrire le livre suivant pour rétablir l'équilibre, sans que vous y parveniez jamais. À mesure que les années passent, les livres se succèdent et les lecteurs parleront d'une «œuvre». Mais vous aurez le sentiment qu'il ne s'agissait que d'une longue fuite en avant.

Oui, le lecteur en sait plus long sur un livre que son auteur lui-même. Il se passe, entre un roman et son lecteur, un phénomène analogue à celui du développement des photos, tel qu'on le pratiquait avant l'ère du numérique. Au moment de son tirage dans la chambre noire, la photo devenait peu à peu visible. À mesure que l'on avance dans la lecture d'un roman, il se déroule le même processus chimique. Mais pour qu'il existe un tel accord entre l'auteur et son lecteur, il est nécessaire que le romancier ne force jamais son lecteur – au sens où l'on dit d'un chanteur qu'il force sa voix – mais l'entraîne imperceptiblement et lui laisse une marge suffisante pour que le livre l'imprègne peu à peu, et cela par un art qui ressemble à l'acupuncture, où il suffit de piquer l'aiguille à un endroit très précis et le flux se propage dans le système nerveux.

Cette relation intime et complémentaire entre le romancier et son lecteur, je crois que l'on en retrouve l'équivalent dans le domaine musical. J'ai toujours pensé que l'écriture était proche de la musique mais beaucoup moins pure que celle-ci et j'ai toujours envié les musiciens, qui me semblaient pratiquer un art supérieur au roman – et les poètes, qui sont plus proches des musiciens que les romanciers. J'ai commencé à écrire des poèmes dans mon enfance et c'est sans doute grâce à cela que j'ai mieux compris la réflexion que j'ai lue quelque part : « C'est avec de mauvais poètes que l'on fait des prosateurs. » Et puis, en ce qui concerne la musique, il s'agit souvent pour un romancier d'entraîner toutes les personnes, les paysages, les rues qu'il a pu observer, dans une partition musicale où l'on retrouve les mêmes fragments mélodiques d'un livre à l'autre, mais une partition musicale qui lui semblera imparfaite. Il y aura, chez le romancier, le regret de n'avoir pas été un pur musicien et de n'avoir pas composé les *Nocturnes* de Chopin.

Le manque de lucidité et de recul critique d'un romancier vis-à-vis de l'ensemble de ses propres livres tient aussi à un phénomène que j'ai remarqué dans mon cas et dans celui de beaucoup d'autres : chaque nouveau livre, au moment de l'écrire, efface le précédent au point que j'ai l'impression de l'avoir oublié. Je croyais les avoir écrits les uns après les autres de manière discontinue, à coups d'oublis successifs, mais souvent les mêmes visages, les mêmes noms, les mêmes lieux, les mêmes phrases reviennent de l'un à l'autre, comme les motifs d'une tapisserie que l'on aurait tissée dans un demi-sommeil. Un demi-sommeil ou bien un rêve éveillé. Un romancier est souvent un somnambule, tant il est pénétré par ce qu'il doit écrire, et l'on peut craindre qu'il se fasse écraser quand il traverse une rue. Mais l'on oublie cette extrême précision des somnambules qui marchent sur les toits sans jamais tomber.

Dans la déclaration qui a suivi l'annonce de ce prix Nobel, j'ai retenu cette phrase, qui était une allusion à la dernière guerre mondiale : « Il a dévoilé le monde de l'Occupation. » Je suis comme toutes celles et ceux nés en 1945, un enfant de la guerre, et plus précisément, puisque je suis né à Paris, un enfant qui a dû sa naissance au Paris de l'Occupation. Les personnes qui ont vécu dans ce Paris-là ont voulu très vite l'oublier, ou bien ne se souvenir que de détails quotidiens, de ceux qui donnaient l'illusion qu'après tout la vie de chaque jour n'avait pas été si différente de celle qu'ils menaient en temps normal. Un mauvais rêve et aussi un vague remords d'avoir été en quelque sorte des survivants. Et lorsque leurs enfants les interrogeaient plus tard sur cette période et sur ce Paris-là, leurs réponses étaient évasives. Ou bien ils gardaient le silence comme s'ils voulaient rayer de leur mémoire ces années sombres et nous cacher quelque chose. Mais devant les silences de nos parents, nous avons tout deviné, comme si nous l'avions vécu.

Ville étrange que ce Paris de l'Occupation. En apparence, la vie continuait, «comme avant» : les théâtres, les cinémas, les salles de music-hall, les restaurants étaient ouverts. On entendait des chansons à la radio. Il y avait même dans les théâtres et les cinémas beaucoup plus de monde qu'avant guerre, comme si ces lieux étaient des abris où les gens se rassemblaient et se serraient les uns contre les autres pour se rassurer. Mais des détails insolites indiquaient que Paris n'était plus le même qu'autrefois. À cause de l'absence des voitures, c'était une ville silencieuse – un silence où l'on entendait le bruissement des arbres, le claquement de sabots des chevaux, le bruit des pas de la foule sur les boulevards et le brouhaha des voix. Dans le silence des rues et du black-out qui tombait en hiver vers cinq heures du soir et pendant lequel la moindre lumière aux fenêtres était interdite, cette ville semblait absente à elle-même – la ville «sans regard», comme disaient les occupants nazis. Les adultes et les enfants pouvaient disparaître d'un instant à l'autre, sans laisser aucune trace, et même entre amis, on se parlait à demi-mot et les conversations n'étaient jamais franches, parce qu'on sentait une menace planer dans l'air.

Dans ce Paris de mauvais rêve, où l'on risquait d'être victime d'une dénonciation et d'une rafle à la sortie d'une station de métro, des rencontres hasardeuses se faisaient entre des personnes qui ne se seraient jamais croisées en temps de paix, des amours précaires naissaient à l'ombre du couvre-feu sans que l'on soit sûr de se retrouver les jours suivants. Et c'est à la suite de ces rencontres souvent sans lendemain, et parfois de ces mauvaises rencontres, que des enfants sont nés plus tard. Voilà pourquoi le Paris de l'Occupation a toujours été pour moi comme une nuit originelle. Sans lui je ne serais jamais né. Ce Paris-là n'a cessé de me hanter et sa lumière voilée baigne parfois mes livres.

Voilà aussi la preuve qu'un écrivain est marqué d'une manière indélébile par sa date de naissance et par son temps, même s'il n'a pas participé d'une manière directe à l'action politique, même s'il donne l'impression d'être un solitaire, replié dans ce qu'on appelle «sa tour d'ivoire». Et s'il écrit des poèmes, ils sont à l'image du temps où il vit et n'auraient pas pu être écrits à une autre époque.

Ainsi le poème de Yeats, ce grand écrivain irlandais, dont la lecture m'a toujours profondément ému : *Les cygnes sauvages à Coole*. Dans un parc, Yeats observe des cygnes qui glissent sur l'eau :

Le dix-neuvième automne est descendu sur moi
Depuis que je les ai comptés pour la première fois ;
Je les vis, avant d'en avoir pu finir le compte,
Qui s'élevaient soudain
Et s'égaillaient en tournoyant en grands cercles brisés
Sur leurs ailes tumultueuses.
[...]
Mais maintenant ils glissent sur les eaux tranquilles,
Mystérieux et pleins de beauté ;

Parmi quels joncs feront-ils leur nid,
Sur la rive de quel lac, de quel étang
Raviront-ils d'autres yeux lorsque je m'éveillerai
Et trouverai, un jour, qu'ils se sont envolés ?

Les cygnes apparaissent souvent dans la poésie du XIXᵉ siècle – chez Baudelaire ou chez Mallarmé. Mais ce poème de Yeats n'aurait pas pu être écrit au XIXᵉ siècle. Par son rythme particulier et sa mélancolie, il appartient au XXᵉ siècle et même à l'année où il a été écrit.

Il arrive aussi qu'un écrivain du XXIᵉ siècle se sente, par moments, prisonnier de son temps et que la lecture des grands romanciers du XIXᵉ siècle – Balzac, Dickens, Tolstoï, Dostoïevski – lui inspire une certaine nostalgie. À cette époque-là, le temps s'écoulait d'une manière plus lente qu'aujourd'hui, et cette lenteur s'accordait au travail du romancier car il pouvait mieux concentrer son énergie et son attention. Depuis, le temps s'est accéléré et avance par saccades, ce qui explique la différence entre les grands massifs romanesques du passé, aux architectures de cathédrales, et les œuvres discontinues et morcelées d'aujourd'hui. Dans cette perspective, j'appartiens à une génération intermédiaire, et je serais curieux de savoir comment les générations suivantes, qui sont nées avec l'internet, le portable, les mails et les tweets, exprimeront par la littérature ce monde auquel chacun est «connecté» en permanence et où les «réseaux sociaux» entament la part d'intimité et de secret qui était encore notre bien jusqu'à une époque récente – le secret qui donnait de la profondeur aux personnes et pouvait être un grand thème romanesque. Mais je veux rester optimiste concernant l'avenir de la littérature et je suis persuadé que les écrivains du futur assureront la relève comme l'a fait chaque génération depuis Homère…

Et d'ailleurs, un écrivain, comme tout autre artiste, a beau être lié à son époque de manière si étroite qu'il n'y échappe pas et que le seul air qu'il respire c'est ce qu'on appelle «l'air du temps», il exprime toujours dans ses œuvres quelque chose d'intemporel. Dans les mises en scène des pièces de Racine ou de Shakespeare, peu importe que les personnages soient vêtus à l'antique ou qu'un metteur en scène veuille les habiller en blue-jeans et en veste de cuir. Ce sont des détails sans importance. On oublie, en lisant Tolstoï, qu'Anna Karénine porte des robes de 1870 tant elle nous est proche après un siècle et demi. Et puis certains écrivains, comme Edgar Poe, Melville ou Stendhal, sont mieux compris deux cents ans après leur mort que par ceux qui étaient leurs contemporains.

En définitive, à quelle distance exacte se tient un romancier ? En marge de la vie pour la décrire, car si vous êtes plongé en elle – dans l'action – vous en avez une image confuse. Mais cette légère distance n'empêche pas le pouvoir d'identification qui est le sien vis-à-vis de ses personnages et de celles et ceux qui les ont inspirés dans la vie réelle. Flaubert a dit : « Madame Bovary, c'est moi. » Et Tolstoï s'est identifié tout de suite à celle qu'il avait vue se jeter sous un train une nuit, dans une gare de Russie. Et ce don d'identification allait si loin que Tolstoï se confondait avec le ciel et le paysage qu'il décrivait, et qu'il absorbait tout, jusqu'au plus léger battement de cils d'Anna Karénine. Cet état second est le contraire du narcissisme car il suppose à la fois un oubli de soi-même et une très forte concentration, afin d'être réceptif au moindre détail. Cela suppose aussi une certaine solitude. Elle n'est pas un repli sur soi-même, mais elle permet d'atteindre à un degré d'attention et d'hyper-lucidité vis-à-vis du monde extérieur pour le transposer dans un roman.

J'ai toujours cru que le poète et le romancier donnaient du mystère aux êtres qui semblent submergés par la vie quotidienne, aux choses en apparence banales – et cela à force de les observer avec une attention soutenue et de façon presque hypnotique. Sous leur regard, la vie courante finit par s'envelopper de mystère et par prendre une sorte de phosphorescence qu'elle n'avait pas à première vue mais qui était cachée en profondeur. C'est le rôle du poète et du romancier, et du peintre aussi, de dévoiler ce mystère et cette phosphorescence qui se trouvent au fond de chaque personne. Je pense à mon cousin lointain, le peintre Amedeo Modigliani, dont les toiles les plus émouvantes sont celles où il a choisi pour modèles des ano-nymes, des enfants et des filles des rues, des ser-vantes, de petits paysans, de jeunes apprentis. Il les a peints d'un trait aigu qui rappelle la grande tradition toscane, celle de Botticelli et des peintres siennois du Quattrocento. Il leur a donné ainsi, ou plutôt il a dévoilé toute la grâce et la noblesse qui étaient en eux sous leur humble apparence. Le travail du romancier doit aller dans ce sens-là. Son imagination, loin de déformer la réalité, doit la pénétrer en profondeur et révéler cette réalité à elle-même, avec la force des infrarouges et des ultraviolets pour détecter ce qui se cache derrière les apparences. Et je ne serais pas loin de croire que dans le meilleur des cas le romancier est une sorte de voyant et même de visionnaire. Et aussi un sismographe, prêt à enregistrer les mouvements les plus imperceptibles.

J'ai toujours hésité avant de lire la biographie de tel ou tel écrivain que j'admirais. Les biographes s'attachent parfois à de petits détails, à des témoignages pas toujours exacts, à des traits de caractère qui paraissent déconcertants ou décevants, et tout cela m'évoque ces grésillements qui brouillent certaines émissions de radio et rendent inaudibles les musiques ou les voix. Seule la lecture de ses livres nous fait entrer dans l'intimité d'un écrivain, et c'est là qu'il est au meilleur de lui-même et qu'il nous parle à voix basse sans que sa voix soit brouillée par le moindre parasite.

Mais en lisant la biographie d'un écrivain, on découvre parfois un événement marquant de son enfance qui a été comme la matrice de son œuvre future, et sans qu'il en ait eu toujours une claire conscience, cet événement marquant est revenu, sous diverses formes, hanter ses livres. Aujourd'hui, je pense à Alfred Hitchcock, qui n'était pas un écrivain mais dont les films ont pourtant la force et la cohésion d'une œuvre romanesque. Quand son fils avait cinq ans, le père d'Hitchcock l'avait chargé d'apporter une lettre à un ami commissaire de police. L'enfant lui avait remis la lettre et le commissaire l'avait enfermé dans cette partie grillagée du commissariat qui fait office de cellule et où l'on garde pendant la nuit les délinquants les plus divers. L'enfant, terrorisé, avait attendu pendant une heure, avant que le commissaire ne le délivre et ne lui dise: «Si tu te conduis mal dans la vie, tu sais maintenant ce qui t'attend.» Ce commissaire de police, qui avait vraiment de drôles de principes d'éducation, est sans doute à l'origine du climat de suspense et d'inquiétude que l'on retrouve dans tous les films d'Alfred Hitchcock.

Je ne voudrais pas vous ennuyer avec mon cas

personnel mais je crois que certains épisodes de mon enfance ont servi de matrice à mes livres, plus tard. Je me trouvais le plus souvent loin de mes parents, chez des amis auxquels ils me confiaient et dont je ne savais rien, et dans des lieux et des maisons qui se succédaient. Sur le moment, un enfant ne s'étonne de rien, et même s'il se trouve dans des situations insolites, cela lui semble parfaitement naturel. C'est beaucoup plus tard que mon enfance m'a paru énigmatique et que j'ai essayé d'en savoir plus sur ces différentes personnes auxquelles mes parents m'avaient confié et ces différents lieux qui changeaient sans cesse. Mais je n'ai pas réussi à identifier la plupart de ces gens ni à situer avec une précision topographique tous ces lieux et ces maisons du passé. Cette volonté de résoudre des énigmes sans y réussir vraiment et de tenter de percer un mystère m'a donné l'envie d'écrire, comme si l'écriture et l'imaginaire pouvaient m'aider à résoudre enfin ces énigmes et ces mystères.

Et puisqu'il est question de « mystères », je pense, par une association d'idées, au titre d'un roman français du XIXe siècle : *Les Mystères de Paris.* La grande ville, en l'occurrence

Paris, ma ville natale, est liée à mes premières impressions d'enfance, et ces impressions étaient si fortes que, depuis, je n'ai jamais cessé d'explorer les « mystères de Paris ». Il m'arrivait, vers neuf ou dix ans, de me promener seul et, malgré la crainte de me perdre, d'aller de plus en plus loin, dans des quartiers que je ne connaissais pas, sur la rive droite de la Seine. C'était en plein jour et cela me rassurait. Au début de l'adolescence, je m'efforçais de vaincre ma peur et de m'aventurer la nuit vers des quartiers encore plus lointains, par le métro. C'est ainsi que l'on fait l'apprentissage de la ville et, en cela, j'ai suivi l'exemple de la plupart des romanciers que j'admirais et pour lesquels, depuis le XIXᵉ siècle, la grande ville – qu'elle se nomme Paris, Londres, Saint-Pétersbourg, Stockholm – a été le décor et l'un des thèmes principaux de leurs livres.

Edgar Poe dans sa nouvelle « L'homme des foules » a été l'un des premiers à évoquer toutes ces vagues humaines qu'il observe derrière les vitres d'un café et qui se succèdent interminablement sur les trottoirs. Il repère un vieil homme à l'aspect étrange et il le suit pendant la nuit dans différents quartiers de

Londres pour en savoir plus long sur lui. Mais l'inconnu est « l'homme des foules » et il est vain de le suivre, car il restera toujours un anonyme, et l'on n'apprendra jamais rien sur lui. Il n'a pas d'existence individuelle, il fait tout simplement partie de cette masse de passants qui marchent en rangs serrés ou bien se bousculent et se perdent dans les rues.

Et je pense aussi à un épisode de la jeunesse du poète Thomas De Quincey, qui l'a marqué pour toujours. À Londres, dans la foule d'Oxford Street, il s'était lié avec une jeune fille, l'une de ces rencontres de hasard que l'on fait dans une grande ville. Il avait passé plusieurs jours en sa compagnie puis il avait dû quitter Londres pour quelque temps. Ils étaient convenus qu'au bout d'une semaine elle l'attendrait tous les soirs à la même heure au coin de Titchfield Street. Mais ils ne se sont jamais retrouvés. « Certainement nous avons été bien des fois à la recherche l'un de l'autre, au même moment, à travers l'énorme labyrinthe de Londres ; peut-être n'avons-nous été séparés que par quelques mètres – il n'en faut pas davantage pour aboutir à une séparation éternelle. »

Pour ceux qui y sont nés et y ont vécu, à mesure que les années passent, chaque quartier, chaque rue d'une ville évoque un souvenir, une rencontre, un chagrin, un moment de bonheur. Et souvent la même rue est liée pour vous à des souvenirs successifs, si bien que grâce à la topographie d'une ville, c'est toute votre vie qui vous revient à la mémoire par couches successives, comme si vous pouviez déchiffrer les écritures superposées d'un palimpseste. Et aussi la vie des autres, de ces milliers et milliers d'inconnus, croisés dans les rues ou dans les couloirs du métro aux heures de pointe.

C'est ainsi que dans ma jeunesse, pour m'aider à écrire, j'essayais de retrouver de vieux annuaires de Paris, surtout ceux où les noms sont répertoriés par rues avec les numéros des immeubles. J'avais l'impression, page après page, d'avoir sous les yeux une radiographie de la ville, mais d'une ville engloutie, comme l'Atlantide, et de respirer l'odeur du temps. À cause des années qui s'étaient écoulées, les seules traces qu'avaient laissées ces milliers et ces milliers d'inconnus, c'étaient leurs noms, leurs adresses et leurs numéros de téléphone.

Quelquefois, un nom disparaissait, d'une année à l'autre. Il y avait quelque chose de vertigineux à feuilleter ces anciens annuaires en pensant que désormais les numéros de téléphone ne répondraient pas. Plus tard, je devais être frappé par les vers d'un poème d'Ossip Mandelstam :

Je suis revenu dans ma ville familière jusqu'aux sanglots,
Jusqu'aux ganglions de l'enfance, jusqu'aux nervures sous la peau.
[…]
Pétersbourg ! […]
De mes téléphones, tu as les numéros.

Pétersbourg ! J'ai les adresses d'autrefois
Où je reconnais les morts à leurs voix.

Oui, il me semble que c'est en consultant ces anciens annuaires de Paris que j'ai eu envie d'écrire mes premiers livres. Il suffisait de souligner au crayon le nom d'un inconnu, son adresse et son numéro de téléphone, et d'imaginer quelle avait été sa vie, parmi ces centaines et ces centaines de milliers de noms.

On peut se perdre ou disparaître dans une grande ville. On peut même changer d'identité et vivre une nouvelle vie. On peut se livrer à une très longue enquête pour retrouver les traces de quelqu'un, en n'ayant au départ qu'une ou deux adresses dans un quartier perdu. La brève indication qui figure quelquefois sur les fiches de recherche a toujours trouvé un écho chez moi : *Dernier domicile connu.* Les thèmes de la disparition, de l'identité, du temps qui passe sont étroitement liés à la topographie des grandes villes. Voilà pourquoi, depuis le XIXe siècle, elles ont été souvent le domaine des romanciers, et quelques-uns des plus grands d'entre eux sont associés à une ville : Balzac et Paris, Dickens et Londres, Dostoïevski et Saint-Pétersbourg, Tokyo et Nagaï Kafû, Stockholm et Hjalmar Söderberg.

J'appartiens à une génération qui a subi l'influence de ces romanciers et qui a voulu, à son tour, explorer ce que Baudelaire appelait « les plis sinueux des grandes capitales ». Bien sûr, depuis cinquante ans, c'est-à-dire l'époque où les adolescents de mon âge éprouvaient des sensations très fortes en découvrant leur ville, celles-ci ont changé. Quelques-unes, en Amérique et dans ce qu'on appelait le tiers-monde, sont devenues des «mégapoles» aux dimensions inquiétantes. Leurs habitants y sont cloisonnés dans des quartiers souvent à l'abandon, et dans un climat de guerre sociale. Les bidonvilles sont de plus en plus nombreux et de plus en plus tentaculaires. Jusqu'au XXᵉ siècle, les romanciers gardaient une vision en quelque sorte «romantique» de la ville, pas si différente de celle de Dickens ou de Baudelaire. Et c'est pourquoi j'aimerais savoir comment les romanciers de l'avenir évoqueront ces gigantesques concentrations urbaines dans des œuvres de fiction.

Vous avez eu l'indulgence de faire allusion concernant mes livres à «l'art de la mémoire avec lequel sont évoquées les destinées humaines les plus insaisissables». Mais ce compliment dépasse ma personne. Cette mémoire particulière qui tente de recueillir quelques bribes du passé et le peu de traces qu'ont laissé sur terre des anonymes et des inconnus est elle aussi liée à ma date de naissance: 1945. D'être né en 1945, après que des villes furent détruites et que des populations entières eurent disparu, m'a sans doute, comme ceux de mon âge, rendu plus sensible aux thèmes de la mémoire et de l'oubli.

Il me semble, malheureusement, que la recherche du temps perdu ne peut plus se faire avec la force et la franchise de Marcel Proust. La société qu'il décrivait était encore stable, une société du XIXe siècle. La mémoire de Proust fait ressurgir le passé dans ses moindres détails, comme un tableau vivant. J'ai l'impression qu'aujourd'hui la mémoire est beaucoup moins sûre d'elle-même et qu'elle doit lutter sans cesse contre l'amnésie et contre l'oubli. À cause de cette couche, de cette masse d'oubli qui recouvre tout, on ne parvient à capter que des fragments du passé, des traces interrompues, des destinées humaines fuyantes et presque insaisissables.

Mais c'est sans doute la vocation du romancier, devant cette grande page blanche de l'oubli, de faire ressurgir quelques mots à moitié effacés, comme ces icebergs perdus qui dérivent à la surface de l'océan.

Stockholm, 7 décembre 2014

DU MÊME AUTEUR

DES INCONNUES («Folio», n° 3408).

LA PETITE BIJOU, roman («Folio», n° 3766).

ACCIDENT NOCTURNE, roman («Folio», n° 4184).

UN PEDIGREE («Folio», n° 4377).

TROIS NOUVELLES CONTEMPORAINES, avec Marie NDiaye et Alain Spiess, lecture accompagnée par Françoise Spiess («La Bibliothèque Gallimard», n° 174).

DANS LE CAFÉ DE LA JEUNESSE PERDUE, roman («Folio», n° 4834).

L'HORIZON, roman («Folio», n° 5327).

L'HERBE DES NUITS, roman («Folio», n° 5775).

28 PARADIS, 28 ENFERS, avec Marie Modiano et Dominique Zehrfuss («Le Cabinet des Lettrés»).

ROMANS («Quarto»).

POUR QUE TU NE TE PERDES PAS DANS LE QUARTIER, roman.

En collaboration avec Louis Malle

LACOMBE LUCIEN, scénario («Folioplus classiques», n° 147, dossier par Olivier Rocheteau et lecture d'image par Olivier Tomasini).

En collaboration avec Sempé

CATHERINE CERTITUDE. Illustrations de Sempé («Folio», n° 4298; «Folio Junior», n° 600).

Dans la collection «Écoutez lire»

LA PETITE BIJOU (3 CD).

DORA BRUDER (2 CD).

UN PEDIGREE (2 CD).

Aux Éditions P.O.L

MEMORY LANE, en collaboration avec Pierre Le-Tan.
POUPÉE BLONDE, en collaboration avec Pierre Le-Tan.

Aux Éditions du Seuil

REMISE DE PEINE.
FLEURS DE RUINE.
CHIEN DE PRINTEMPS.

Aux Éditions Hoëbeke

PARIS TENDRESSE, *photographies de Brassaï.*

Aux Éditions Albin Michel

ELLE S'APPELAIT FRANÇOISE..., en collaboration avec
Catherine Deneuve.

Aux Éditions du Mercure de France

ÉPHÉMÉRIDE («Le Petit Mercure»).

Aux Éditions de L'Acacia

DIEU PREND-IL SOIN DES BŒUFS?, en collaboration avec
Gérard Garouste.

Aux Éditions de L'Olivier

28 PARADIS, en collaboration avec Dominique Zehrfuss.